Les animaux de Lou

D'où tu viens, Petit Chien ?

Des romans à lire à deux,
pour les premiers pas en lecture !

La collection Premières Lectures accompagne
les enfants qui apprennent à lire. Chaque roman
peut être lu à deux voix : l'enfant lit les bulles et
un lecteur confirmé lit le reste de l'histoire.

Cette collection a trois niveaux :

JE DÉCHIFFRE les bulles peuvent être lues par l'enfant
qui débute en lecture.

JE COMMENCE À LIRE les bulles peuvent être lues
par l'enfant qui sait lire les mots simples.

JE LIS COMME UN GRAND les bulles peuvent être lues
par l'enfant qui sait lire tous les mots.

Quand l'enfant sait lire seul, il peut lire les romans en entier,
comme un grand !

Un concept original **+** des histoires simples **+** des sujets
qui passionnent les enfants **+** des illustrations :
des romans parfaits pour débuter en lecture avec plaisir !

**Cette histoire a été testée par Francine Euli, enseignante,
et des enfants de CP.**

L'orthographe rectifiée, qui fait désormais référence
dans les programmes scolaires, est appliquée dans cet ouvrage.

©2016 Éditions NATHAN, SEJER, 25 avenue Pierre-de-Coubertin, 75013 Paris
Loi n° 49-956 du 16 juillet 1949 sur les publications destinées à la jeunesse,
modifiée par la loi n° 2011-525 du 17 mai 2011.
ISBN : 978-2-09-256179-9

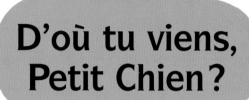

D'où tu viens, Petit Chien?

TEXTE DE MYMI DOINET
ILLUSTRÉ PAR MÉLANIE ALLAG

Le samedi, Lou fait les courses
avec son papa. Leur Caddie déborde
de sucré, de salé, de glacé.
Pour le pousser vers le parking,
il faut être musclé!
Soudain, en remplissant le coffre,
Lou aperçoit un petit museau
sous la voiture. Oh! C'est celui
d'un bébé dalmatien.

Ce petit chien n'a pas de collier.
Lou, qui sait parler aux animaux,
lui chuchote:

Quel est ton nom?

Pas de réponse. Serait-il muet?

Puis, hop! Le jeune animal escalade
la banquette. Le papa de Lou n'est
pas d'accord:

Ne reste
pas là!

Mais le chiot s'endort sur les genoux
de Lou.

Quand Lou et son papa
arrivent chez eux, le mystérieux
petit dalmatien les suit.

Réglisse, la chienne de la maison,
accourt devant la porte. Elle le renifle
et jappe :

> D'où tu viens,
> Petit Chien ?

Têtu, le jeune chien refuse de répondre.

Macaron, le chat de Lou, est jaloux…
Dès que le chiot entre dans la chambre
de Lou, le matou le chasse. Bing! Le
pauvre atterrit sur la ferme miniature.

Réglisse est plus partageuse.
Elle laisse le bébé chien approcher
sa gamelle. Il doit avoir faim !
Lou lui coupe une tranche de jambon.

Voici ton repas.
Tu aimes ça ?

Le glouton se régale, mais il n'est
décidément pas bavard.

Son petit ventre bien rempli, le chiot se faufile vers le salon et fait pipi sur les coussins. Le papa de Lou le gronde en nettoyant les dégâts :

Le canapé n'est pas un caniveau !

Oh là là! Ce toutou est cracra!
Lou va devoir lui apprendre
la propreté.

Et si ce chien s'était perdu?
Il faut que ses maitres sachent
où le retrouver.
Clic, clac! Lou le prend en photo
et imprime son portrait.

Ta tête est chou,
petit chiot!

Lou court ensuite voir sa maman qui est fleuriste. Puis elle scotche la photo du jeune dalmatien sur la vitrine.

Une semaine passe. Les gens viennent
acheter des tulipes et des roses,
mais personne ne réclame le chiot.
Et s'il avait été abandonné ?
Lou le câline et lui donne un nom :

Je t'adore,
Petit Trésor !

Maintenant, le dalmatien est propre,
mais il ne jappe toujours pas.
Cache-t-il un secret?

Jour après jour, même Macaron devient copain avec le bébé dalmatien. Lou, elle, se pose bien des questions. Saperlipopatte! Pourquoi les maîtres de ce chiot n'ont-ils plus voulu de lui?

A-t-il fait caca dans leurs chaussons?

A-t-il cassé leur télé neuve?

A-t-il mangé
leur poisson rouge ?

A-t-il déroulé
tout le papier
toilette ?

De toute façon, petite
ou grosse bêtise, c'est interdit
de se débarrasser d'un animal !

Cet après-midi, il pleut.
Cela n'empêche pas Lou
de réserver une surprise
à son protégé.

On sort,
Petit Trésor !

Après avoir glissé le chiot à l'abri dans son sac à dos, elle ouvre son parapluie. Direction le cinéma pour y voir un dessin animé... plein de dalmatiens.

Soudain, ça aboie, et pas qu'à l'écran!
Petit Trésor s'agite dans les bras
de Lou. Ça alors! Il parle enfin:

Lenny est ici!

Qui est ce Lenny? Lou ne voit rien dans le noir. Et chut! Les spectateurs ordonnent le silence.

Dès que les lumières se rallument,
Lenny, un petit garçon, accourt.

Mon super chien,
te voilà enfin !

Lenny explique : chaque matin,
avant son départ en classe, ses parents
enfermaient le chiot dans la cave
pour éviter qu'il mette le bazar
dans la maison vide.

J'étais comme
en prison, alors je
me suis évadé !

En sortant du cinéma, Lenny retrouve
ses parents près de la boulangerie.
Lou a beaucoup à leur apprendre.

Il faut à ce chiot
du soleil, des joujoux,
et un tapis tout doux !

Les parents de Lenny ont compris :
ils n'enfermeront plus le dalmatien
dans la cave.
De son côté, Petit Trésor promet :

Je ne ferai pas
de bêtise !

Une semaine plus tard, Lou invite Lenny et Petit Trésor à piqueniquer. Réglisse et Macaron coursent leur copain entre les pots de fleurs.

Malin, le dalmatien se camoufle au fond de l'arrosoir. Lenny a bien vu sa tactique, mais motus! Il ne révèlera pas sa cachette.

Quel bonheur! Ton maitre t'adore, Petit Trésor!

Lou te dit tout sur le dalmatien

D'où vient son nom?

Les premiers dalmatiens auraient été vus en Dalmatie, région de Croatie située juste en face de l'Italie, bordée par la mer Adriatique.

Des bébés sans tache

Quand les chiots dalmatiens naissent, leur pelage est blanc. Leurs taches apparaissent quand ils ont 2 à 3 semaines.

Son tatouage, c'est comme sa carte d'identité

Un chien doit être tatoué, généralement dans l'oreille, ou il doit avoir une puce électronique. Ainsi, s'il se perd, cela permet de vite retrouver ses maitres.

Un chien n'est pas un objet

Il ne faut pas le laisser trop souvent seul. Mets-toi à sa place : le chien ne sait pas si son maitre va revenir, alors il angoisse et fait des bêtises pour s'occuper, car il s'ennuie.

100 000 animaux sont abandonnés chaque année

Il ne faut pas avoir de cœur pour oser faire une chose pareille! Des refuges accueillent les malheureux chiens et chats délaissés où de bons maitres peuvent venir les adopter.

Bravo ! Tu as lu un livre en entier !
Tu as aimé cette histoire ?
Retrouve Lou dans d'autres aventures !

premières lectures

N° éditeur : 10229834 – Dépôt légal : avril 2016
Achevé d'imprimer en septembre 2016 par Pollina (85400 Luçon, Vendée, France) - L78460B